狂野不驯的天气

[美] 保罗·哈里森◎著 许若青◎译

中国少年儿童新闻出版总社
中国少年儿童出版社
北 京

鲁克和他的朋友们

鲁克

鲁克是一位天才少年，他发明了一款名叫"虫洞"的手机 APP（应用程序）。只要用手机自拍一下，他和朋友们就能一起跨越时空，开启科学之旅。

何敏

何敏天资聪颖，甚至可以说是机智过人。她喜欢扮酷，总装作一副心不在焉的样子，其实她对科学有着火一样的热情。

蒋方

蒋方很幽默，总喜欢胡闹。他的脑子转得很快，随口就能讲出笑话来，这或许是他脑子里装了很多知识的缘故吧。

宁宁

宁宁是这群伙伴里年龄最小的一个，大家都很照顾她。她热爱运动，无论是跑跑跳跳还是打球，她都很擅长。

比特

比特是鲁克的小狗，它很喜欢跟着大家一起探险。比特天不怕、地不怕，唯独害怕噪声。

目 录

暴风雨要来了

"真大啊！"何敏指着远处一片巨大的云彩说。

那片云正从南边缓慢地飘过来，越来越近。云的形状很奇怪，它的顶部扁平，而且不断地向外扩散。

"就像一个超大的蘑菇。"宁宁一边说，一边比画。

"那是积雨云。"鲁克凑了过来，对比着手机上各种各样云的图片说道。

"积什么？"何敏把头转向鲁克，皱着眉问。

"这种云的名字其实挺好记的。"蒋方展开双臂，尽情享受着南方乡村的清新空气。

这是暑假的最后一周，蒋方的爸爸妈妈把他送到了生活在南方的表哥阿杰这里，他可以在乡下待上一个星期。更让蒋方感到兴奋的是，他的大姨希望他能带着小伙伴们一起过来热闹热闹。

小狗比特紧张兮兮地对着那片云大叫。

何敏俯下身子，挠了挠比特的脑袋，"别怕，比特。这片云虽然很大，但它不会对我们造成伤害。"

"我觉得你说的可能不太对……"一个声音从大家身后传来，原来是表哥阿杰。他二十岁出头，又高又瘦。

"阿杰哥，一片云积雨会有什么破坏力吗？"蒋方有点儿不相信。

"那不叫云积雨，那叫积雨云。它不仅能带来雷雨，有时候还会带来更糟糕的天气呢！"

"比雷雨还糟糕？那是什么呀？"宁宁抬起头，又看了看那片云。

"比如雷暴、冰雹、龙卷风什么的……"

"雷暴、冰雹我还能理解，它还能形成龙卷风？"蒋方惊讶得张大了嘴巴。

阿杰点点头，"是啊。要是有龙卷风的话，我一定要追过去看看。"

"那肯定很带劲儿！"激动之余，蒋方有点儿犹豫，"不过……会不会有危险啊？"

"别忘了，我在大学里学的可是气象学。"阿杰笑着说。

"那我们也跟你一起去，行吗，龙卷风猎人？"蒋方投去崇拜的目光。

"那可不行！你们几个太小了，跑到龙卷风附近太危险了！"阿杰坚决地摆摆手，"不过，你们也不必失望，我可以先带你们去看看我追逐龙卷风的座驾——飞廉。在中国的神话故事里，飞廉可是掌管风的神兽！"

阿杰取来车钥匙，带着大家沿着一条小路走向车库。

在路上，鲁克问阿杰："这里经常会出现龙卷风吗？"

"这里的龙卷风虽然算不上频繁，但时不时也会遇上。龙卷风是一种强烈的空气涡旋，它的中心风速能达到100~200米每秒呢，不过，它的范围不大。"阿杰想了想，继续说，"龙卷风威力惊人，我亲眼见过龙卷风将一棵大树连根拔起呢！"

阿杰时不时看一眼天上的积雨云，短短几分钟，这片云离他们更近了，也更暗了，这时还刮起了大风。

"你们看，这片积雨云又厚又大，这种情况下孕育出龙卷风的可能性很大。我们得赶紧去车库，要不然，一会儿我可就追不上龙卷风了。"

"为什么呀？"宁宁不理解阿杰的话。

"龙卷风的运动方向很难准确预测，它们也许前一分钟还在你面前，下一分钟就绕到你身后去了……"

何敏把目光投向正在追蜻蜓的比特，"这有点儿像比特呀，它的行动也总是飘忽不定。"

"对呀，龙卷风跟比特跑来跑去的劲头儿确实很像！"阿杰笑着说。

大风呼啸，原本明亮的天空一下子变得一团漆黑。紧接着，伴随着雨水，乒乓球大小的冰雹砸了下来，发出噼噼啪啪的声响。

"快跑！"阿杰招呼大家赶紧跑到车库躲避冰雹。

蒋方双手捂着头，大声喊道："这回我算见识到积雨云的厉害啦！这么大的冰雹！啊——好疼！我想离开这儿！我

要回家！"

　　"竟然有这么大的冰雹！砸在身上可真疼！"宁宁一边说，一边揉胳膊。

　　"这些冰雹最初只是积雨云里的一些微小的冰晶，它们在下坠的过程中遇到了上升气流……"鲁克的手指在手机屏幕上滑动，他在翻看着资料。

　　"上升气流？云层中还有向上吹的气流吗？"蒋方问。

　　"……对，当那些上升气流足够大的时候，这些小冰晶就会被带回上层的积雨云中，它们不断地吸附周围更小的小冰晶或者小水滴，变得越来越大、越来越沉，直到上升气流实在托举不动它们了，它们便一头栽下来，砸向地面。"

"我还见过比柚子还要大的冰雹呢！要是被那玩意儿砸一下，肯定得受重伤。"阿杰拉开车库门，向大家展示他的座驾，"这就是我的飞廉！"

"哇！"

出现在大家眼前的是一辆高大的装甲车。

这是阿杰花了一个暑假改装的皮卡，他在车上安装了许多奇奇怪怪的装备。

"你们看，这是飞廉的外壳，我给它加装了一层厚厚的钢板……"阿杰自豪地介绍，"当然，这让飞廉一下子沉了好多……得有一辆校车那么重吧。所以在动力方面，我又给飞廉加装了柴油涡轮增压发动机，这样它就能追上龙卷风了……在必要的时候，飞廉还能帮助我逃离龙卷风……"

"车窗的玻璃够结实吗？会不会被冰雹砸坏呀？"宁宁担心地问。

"别担心，车窗用的是防弹玻璃。"阿杰笑着说。

何敏把脸贴在飞廉的车窗上往里看，只见车里摆放着许多奇怪的东西，其中有一个橙色的设备非常醒目，那是一个用金属制成的圆锥状物体，扁扁的，有盘子那么大。她刚要开口提问，飞廉突然发出了"滴滴滴——"的警报声。

"啊，什么声音？"蒋方吓了一跳。

阿杰一把拉开驾驶侧的车门，熟练地检查了车内正在闪光的屏幕，他兴奋得瞪大了眼睛，"哈哈，雷达发现了信号！正南方向出现了龙卷风。"接着，他倒吸了一口气，"哈哈，竟然是 EF3 级的龙卷风！我还是第一次有机会去追赶这个级别的龙卷风呢！"他赶紧启动飞廉，"抱歉了，各位，我去去就来！"

蒋方大声喊道："我们——也想去——"

可惜，发动机的轰鸣声太大，阿杰没有听到蒋方的呼喊。飞廉早已驶出车库。

伙伴们跟着蒋方跑到车库门口，他们眼看着飞廉越跑越快，消失在了远方。此时，冰雹已经停了。车库外面仍然大风呼啸，天空不再一团漆黑，而是泛着一抹奇怪的黄色。

关于风的争论

又过了一会儿，整个天空都被积雨云填满了，云层深处不时进出道道闪电。突然，在云层下面冒出一股旋转扭曲的锥形气流，而且越转越快，越转越长，逐渐向地面延伸，俨然一副张牙舞爪的巨怪模样。

伙伴们清楚地看到，当这股锥形气流与地面接触时，周围顿时腾起浓密的烟尘和大量的土块。

龙卷风移动得很快，飞廉小心地咬在后面。

蒋方目送着加速冲向龙卷风的飞廉，紧张地咽了下口水，

"也许阿杰哥把咱们留在这里是对的。"

几分钟后，雨过天晴，一切又归于平静。

"阿杰哥应该没问题吧？"何敏很担心。

"绝对没问题，别忘了，他在大学学的就是气象专业。"蒋方倒是一点儿不担心。

"我有点儿饿了。"宁宁看了一眼手机，"刚才兴奋过度了，我都没感觉到饿。"

蒋方附和道："是呀，我也早就饿了。咱们先回去吧，看看大姨给咱们准备了什么好吃的。"

比特开心地叫了几声，迫不及待地跟着大家往回走。

"我们回来啦！"

无人应答。

伙伴们轻轻走进屋，看到大姨正盯着电脑屏幕，对着手持电台在说着什么。她的个子不高，梳着长长的辫子，耳朵上一对大大的耳环晃来晃去。大姨说的都是一些专业术语，大家一句也没听懂。

"大姨，我们回来了。"蒋方轻轻地说。

大姨这才发现孩子们回来了，她热情地招呼大家："我正和阿杰通话呢。龙卷风已经着陆一段时间了，这是飞廉传回来的实时视频，快来看！"

伙伴们围到大姨身边，屏幕上的龙卷风是棕色的，它正在疯狂地旋转、翻卷。大家清晰地看到，龙卷风把一根电线杆拔起、折断，就像他们随手掰断一根小树枝那样简单。

"你离龙卷风太近了，阿杰！"大姨对着手持电台责怪起儿子来。

由于大姨戴着耳机，所以伙伴们不知道阿杰说了些什么。不过，没过一会儿，大姨的脸上露出了微笑，"我知道你很在行，但是刚才妈妈真的有些担心。"说完，她转过身来说，"去吃点儿东西吧，孩子们。我烙了一些馅饼，你们先吃，我一会儿就过来。"

大家来到了餐桌旁，宁宁问："龙卷风到底是怎么形成的呢？"

"我觉得，咱们应该找专家请教请教。"鲁克若有所思地吃着馅饼。他掏出手机，在屏幕上点了几下，"我先看看哪位专家能帮到咱们……"

"鲁克，要用'虫洞'应用程序吗？"宁宁很兴奋，恨不得把盘子里的馅饼马上吃完，好赶紧去"拜访"专家。

"还记得怎么用'虫洞'吧？谁要是不会用，就不带谁

去了。哈哈哈……”鲁克和大家开玩笑。

饭后，大家凑到鲁克身边。

鲁克拿起手机，把胳膊伸得很直很直，说："确保大家都在镜头里啊——别动——"

鲁克按下了拍摄键。

一道闪光！

时空转换——

大家被闪光灯晃得赶紧眯上了眼睛，闪光过后，他们发

现身边的景象变成了一间巨大的阶梯礼堂。这里座无虚席，听众正专心致志地聆听一位身材矮小、满头银发的先生演讲。

"他是谁？"宁宁疑惑地问。

"他是詹姆斯·波拉德·埃斯皮，坐在下面的这些人都是科学家。"鲁克说，"这里是1842年的美国费城，在当时，埃斯皮先生可是暴风雨研究领域的顶尖专家，人们都尊称他为'暴风雨之王'。"

只见埃斯皮边讲边在黑板上画出示意图，"……所以，大家看，当阳光照射空气时，空气的温度就会上升，便向上运动。我们都知道，空气里含有水蒸气……"

"请问……"何敏举手提问。

埃斯皮转过身来，看到几个孩子突然出现在了讲台上，有些惊讶，"哦，这里来了几位迟到的客人，不知我有什么可以帮你们的？"

"请问，什么是水蒸气？"何敏向前一步，鼓起勇气问道。

"很棒的问题！水蒸气就是气体形态的水。"埃斯皮微笑着回答，"你一定知道潮湿的空气是什么感觉，对吧？"

"是的，先生。"何敏回答，"您的提问让我一下子想到了夏天潮湿、闷热的天气，那种全身黏糊糊的感觉真是太难受了……"

"对！这种潮湿的感觉就是空气中的水蒸气造成的。"埃斯皮继续说，"热空气在上升的过程中会逐渐降温，水蒸气也会跟着凝结，甚至是凝华……"

"不好意思……"宁宁举起手来。

埃斯皮再一次转过身来，"嗯，你有什么问题呢？"

"请问，什么是凝结和凝华？"宁宁没有听明白埃斯皮刚才所讲的内容。

"又是个不错的问题！凝结就是气体遇冷变成液体的过程，而凝华是气体遇冷跳过液态，直接变为固态的过程。"埃斯皮耐心地解答，"当空气冷却时，水蒸气就会凝结成小水滴或凝华成小冰粒，这些飘浮在空气中的小水滴和小冰粒聚集在一起，就是我们所看到的飘在天空中的云。"

"谢谢您，我懂了！"

埃斯皮继续对台下的听众讲："水蒸气在凝结的过程中将释放热量，形成一个低气压区。在气压的作用下，四面八方的空气都会朝低气压区集聚，风就是这样产生的。因此，如果气压低到一定程度的话，暴风雨就可能会到来……"

"胡言乱语！"人群中，一位先生站起来喊道。

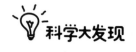

所有人都望了过去，他坐在第四排，满头银发，身材瘦高。

"这个人可真没礼貌！他是谁？"何敏不满地问。

鲁克在手机上迅速翻找着资料，很快就查到了，"他是威廉·查尔斯·雷德菲尔德，埃斯皮先生的死对头，他们俩谁也瞧不上谁。"

"你！居然说谎！"雷德菲尔德伸出他又长又瘦的手指，厉声指责，"我曾经亲身经历过暴风雨，我发现大树、玉米秆是沿着螺旋路径被吹倒的，并不像你说的那样，倒向一个中心点。现在，我明确告诉你，风是旋转着运动的！"

　　埃斯皮被气得满脸通红，他咆哮道："你竟敢打断我的演讲，收起你那套愚蠢的想法吧！旋转的暴风雨？这简直是胡说八道！我的实验显示得非常清楚……"

　　"你的实验？我想你应该从实验室走出来！"雷德菲尔德大笑起来，"等到刮风下雨的时候，你应该亲眼看看真正的暴风雨是什么样的，它就像水中的漩涡一样……"

　　埃斯皮彻底愤怒了，他紧握拳头，看上去好像马上就要一拳锤在雷德菲尔德的鼻子上。

　　"他们吵得可真凶，还真有点儿暴风雨的感觉。"蒋方开了个玩笑。

　　"咱们还是赶紧走吧。"说着，鲁克掏出手机，关上了"虫洞"应用程序。

　　"那么，到底谁说的对呢，是埃斯皮，还是雷德菲尔德？"宁宁追问。

　　鲁克给大家解释："其实，他们两个说的各有对错。埃斯皮说对了暴风雨的成因，但没有解释清楚风的运行方式。而雷德菲尔德说对了暴风是旋转的，但他却否认了埃斯皮关于气压的说法。不过，他们的争论确实让我们更加直观地了解了暴风雨。"

　　"这样看来，科学上的进展真不是靠一人之力就能推动的！"何敏感叹道。

　　"是啊，有的时候，还真得吵上一架呢！"蒋方举起拳头咯咯笑。

　　鲁克见状，也比画了两下拳头。

　　蒋方马上补充："呃……我的意思是……既活泼，又热闹地讨论……"

头条新闻

广播里播放着欢快的乡村小调。

忽然，播音员紧急插播了一条消息：

"据气象部门预报，在未来8小时内，我市北部地区阴有中到大雨、部分地区有暴雨，局地可能出现龙卷风，并伴有短时雷雨、大风、冰雹等强对流天气……"

"北部地区？广播里说的应该就是咱们这儿！"何敏有些担心。

"别担心，我们肯定不出门！"蒋方接过何敏的话，"不过，我有点儿担心阿杰哥，希望他没事……"

"话说回来，播音员是怎么知道的？"宁宁有点儿疑惑。

"知道什么？"鲁克抬头看着宁宁。

"他们怎么知道接下来的天气状况？难道他们能预测未来？他们是如何做到的呀？"

"哈哈！从某方面说，他们还真是在预测未来呢。"鲁克笑着点了点头，"在古代，人们对天气的预测基本上靠猜，有的时候还带有一些迷信的色彩。不过，人们也总结出了许多生活谚语，譬如'朝霞不出门，晚霞行千里'什么的。"

"朝霞，晚霞？我不太明白，这谚语是什么意思呢？"

鲁克解释："这句话的意思是，如果早上看到朝霞，白天可能会有雨，不宜出门；如果在傍晚看到了晚霞，第二天大多是晴天，可以远行。虽然这句谚语十有八九会应验，但实际上，以前的人并不了解其中的原由。"

"那么，后来人们是如何学会了预测天气的呢？"何敏追问道。

"直到人们用科学的方法研究和分析，天气的神秘面纱才真正被揭开。在这个领域，有两个挪威人的贡献最大，他们是威廉·皮叶克尼斯和他的儿子雅各布·皮叶克尼斯。"

何敏一听到科学家的名字，便兴奋地说："咱们能见见他们吗？我一直想去挪威看看，听说那里很美！"

鲁克马上掏出手机，"没问题！我这就安排！走，咱们去1918年的挪威吧，雅各布正好在那时迸发出了天气预报的灵感。"

一道闪光！

时空转换——

闪光后，伙伴们的眼前突然出现了一间小木屋，它位于高崖顶上，往下看，一片狭长的海湾尽收眼底。

"这个峡谷可真美！"蒋方朝着下面大喊了一声。

何敏纠正他的说法："这可不是峡谷，它叫峡湾，我在地理兴趣小组里学到过，它是冰川与海洋共同作用形成的'U'形谷。挪威有很多峡湾，所以有'峡湾之国'的美称。"

"咱们去小木屋看看吧。"鲁克招呼大家过来。

屋里有两个人，年长的那位是威廉·皮叶克尼斯，他正坐在扶手椅上看报纸。另一位是雅各布·皮叶克尼斯，他正望向窗外，注视着峡湾上方的一片云。

忽然，雅各布转过身来问："父亲，我总是在想，当冷气团和暖气团相遇时，它们的边界是什么样子的。"

"这情景大概跟我和我老爸讨论事情的时候差不多。"蒋方一不小心笑出了声。

笑声惊动了皮叶克尼斯父子，威廉和雅各布都抬起头望向屋门口。

"你们是谁？先进屋里来吧，屋里暖和。"雅各布很友善。

伙伴们赶紧挤进了小木屋。

"小伙子，你和你的父亲经常讨论天气吗？"威廉和蔼地问蒋方。

蒋方结结巴巴地说："不……我刚才在开玩笑……我和我老爸从来不这么一本正经地讨论事情……"

鲁克赶忙插话："我朋友的意思是，我们几个很想听听您的想法。"

雅各布点点头，继续刚才的话题，"咱们知道，当冷气团和暖气团相遇时，经常伴有雷雨、大风、冰雹等天气现象，不过，咱们还不太了解它们是如何形成的。"

威廉点了点头，"是的。不过，你既然这么说，我猜你应该有一些想法了，对吗？"

"哈哈，知子莫如父！我们从已经得出的结论中了解到，两股气团在相遇时呈一个斜面，冷空气在下，暖气团在上。在两股气团遭遇后，暖气团会沿斜面向上运动，冷气团则沿斜面向下运动，想象一下，我的双手就是即将遭遇的两股气团。"雅各布两掌相合，然后他把合上的双手向右侧倾斜，左手沿斜面向上移动，右手则沿斜面向下移动，"想想看，两股气团的这种运动能产生旋风。"

"旋风？"大家不约而同地张大嘴巴。

"对，旋风就是围绕一个低气压中心旋转的风。"雅各布从桌子上拿起一支铅笔，把铅笔夹在两个手掌间，然后两手掌相对滑动了一下，只见铅笔在两个手掌之间转动起来，"我们把这支笔当作这两股气团之间的气柱，当冷暖两股气团相对运动时，气柱就会像铅笔这样在交界处旋转起来，于是就形成了旋风。如果条件合适，它还有可能发展成为台风等天气现象。"

威廉赞许地点点头，"这个想法有意思！我想咱们应该深入地研究研究。目前，咱们可以先给冷暖两股气团的交界处起个形象的名字。"

雅各布瞥了一眼父亲手中的报纸，头条新闻的标题是"福

熙将军指挥协约国军队挫败德军在西线的5次进攻！"。

"叫'锋面'怎么样？"雅各布眼睛一亮。

"锋面吗？就像协约国和同盟国在战场上对垒交锋那样？这个名字太完美啦！"威廉笑着点点头。

鲁克转过头对大家说："我们又亲眼见证了一个历史时刻，真希望他们的研究能马上成功。咱们走吧。"

一阵闪光后，大家回到了鲁克的大姨家。

鲁克说："在威廉、雅各布父子以及众多科学家的长期研究推动下，人们最终成功分析出旋风的成因和运动规律。

如今，气象部门已经能对天气作出较为准确的预报了。还记得刚才雅各布给冷、暖两股气团交界处起的名字吗？直到现在，人们依然用'锋面'这个词呢。"

"太有意思啦！"宁宁兴奋地拍起手来，"但是，我还是没搞明白龙卷风到底是怎么形成的。"

"确实，即使到了今天，科学家们仍然无法确定龙卷风的具体成因。蒋方，能帮我找一下笔和本子吗？"

"没问题！稍等啊，我问问大姨去。"

鲁克接过蒋方找来的笔和本子，边画边说："埃斯皮说过，空气中的水蒸气在上升过程中会逐渐凝结成小水滴并释放热量，这样，气压会降低，周围的空气会发生流动，继续将这些空气向上推，从而形成上升气流。在某些强对流天气里，由于上层气流和下层气流的速度存在差异，会导致上升气流剧烈旋转，就像刚才雅各布手里的铅笔，科学家们把这种现象称为中气旋……"

"等等……中气旋？又是个新词？"蒋方打断鲁克，"中气旋是不是雅各布所说的旋风呀？"

"中气旋和旋风一样，都是绕着低气压旋转的气团，不过中气旋要小很多。"鲁克解释，"而且，如果再给中气旋

附加一个条件，就很可能形成龙卷风了。"

"什么条件？"何敏追问道。

"云墙，是由大量潮湿空气强烈上升而形成的积雨云组成的，龙卷风就是在云墙里面孕育形成的，高耸似墙。"

宁宁接过鲁克的话："这也就是说，要形成龙卷风需要很多条件？"

"确实需要很多条件。"蒋方喃喃地说，"不过，我觉得阿杰哥家附近，好像经常出现龙卷风。"

追踪龙卷风

忽然，屋外大风呼啸，紧接着下起了瓢泼大雨。比特紧张得浑身发抖。

"怎么又下起雨来了？难不成是龙卷风掉头回来了？或者，又来了个新的龙卷风？这到底是怎么回事呀？"蒋方在手机上努力搜索天气预报，但始终没有什么新消息，"那对挪威父子确实为预测天气作出了很大贡献，不过，对于一些小范围的特殊天气，比如龙卷风、冰雹什么的，预测起来是不是更加困难啊？"

"你说的有道理，但人们探索精确预报方法的脚步从来没有停止过。"鲁克用大拇指在手机屏幕上滑动，"想要了解如何预测龙卷风，我想咱们应该去问问约翰·芬利……"

一道闪光！

时空转换——

周围场景变成了十分荒凉、平坦的大草原，大家目力所及之处完全看不到树木，脚下是一条蜿蜒曲折的土沟，样子很像干涸的河床，土沟底部布满了被碾平的、扭曲的草。

"我不喜欢这儿，感觉怪怪的。"蒋方撇了撇嘴。

"这是哪儿呀？"何敏跟着问。

"这里是1879年的内布拉斯加州，位于美国中西部。"鲁克看着手机回答。

"咱们不是要去找芬利吗？"宁宁问。

鲁克皱了皱眉，"是呀！难不成是'虫洞'应用程序出问题了？"

蒋方指着地上一片七扭八歪的灌木，笑着说："如果这是他留下的痕迹的话，那他可能已经走了。"

"这能是人类留下的痕迹？！这肯定是龙卷风留下的呀！"何敏白了蒋方一眼。

"嘿！他在那儿呢！"鲁克指着远处喊道。

一位身材魁梧的先生沿着土沟走了过来，他穿着一身军装，饱经风霜的脸上蓄着两撇醒目的八字胡，样子和海象的别无二致。

芬利感到很意外，他挑起双眉，走到大家面前，"你们好啊！你们几位小朋友到这里来做什么？"

蒋方觉得这个问题不太友善，"你可以来，我们就不可以来吗？"

　　"先生，您在这里研究什么呢？"鲁克急忙打圆场。

　　"我在研究龙卷风的踪迹。"

　　"您真的在研究龙卷风呀？可是，您为什么要研究这个呢？"宁宁好奇地问。

　　"我觉得通过研究龙卷风的路径，可以进一步提高对这种极端天气的了解。"芬利清了清嗓子，"我想，总有一天，人们能精准预测它们会在什么时候、什么地方出现，这样就能帮助大家减少损失、挽救生命。"

　　"您这个想法可真棒！刚才我对您的态度不太好。"蒋方不好意思地说。

　　芬利笑着说："年轻人，关于龙卷风，咱们了解得还是

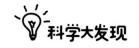
太少了。"

"那您能把您所了解的告诉我们吗？"鲁克虚心地求教。

"在美国的一些地方经常会出现龙卷风，我发现这些地方的冷、暖气团非常活跃，其中的暖湿气流大多由墨西哥湾进入美国大陆，一路向北，而从加拿大吹来的冷空气又干又冷，它们相遇的那个地方天气就会变得很不稳定。"芬利一边比画，一边说："我曾经在刮龙卷风的时候，专门对云层、温度和风向进行了一些研究，总结出形成龙卷风的一些地表条件。我把这些概括为15条规则，按照这些规则，就可以大致预测出哪里即将出现龙卷风。我希望可以建立一个专门用来预测龙卷风的观测站，好帮助更多的人躲避龙卷风的危害。我现在很忙，如果你们不介意，我要继续工作了。"

何敏看着逐渐走远的芬利问："他真能预测龙卷风吗？"

鲁克掏出手机，一边调整"虫洞"参数，一边说："咱们看看8年后的芬利吧，我把参数设置成'暗中观察'模式，这样咱们就不会打扰到他了。"

一道闪光！

时空转换——

周围的景象是一间办公室，眼前的芬利先生比大家上一

次见到的模样老了一些，他眉头紧锁，正低头和面前的一位军官谈话。

"芬利中士，很遗憾，你的龙卷风观测站可能要关闭了。"军官说。

芬利急切地问："为什么呢？长官，这个观测站做得很好啊！"

"你确实能准确告诉我们没有龙卷风的时间，但是我们发现你并不能明确告诉我们龙卷风发生的时间。"

"长官，我们正在改进……"

"很遗憾，这是上级的决定。"军官的态度很坚决，"对了，为了避免引起公众恐慌，以后，在天气预报中将使用局地强风暴代替龙卷风这个名称。"

"芬利先生显然失去了继续研究龙卷风的机会，我真为他感到遗憾。"宁宁难过地说。

鲁克点了点头，"是呀，这不仅对芬利先生来说是个坏消息，还直接影响了人们对于龙卷风的研究。在此后的60年里，有关龙卷风的研究基本上处于停滞状态……"

"60年？那60年之后发生了什么事呢？"何敏追问。

"走，咱们看看去。"

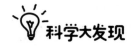

一道闪光！

时空转换——

闪光过后，大家置身于一处破败的军事基地。借着灯光，伙伴们看到眼前满是坍塌的墙体、破碎的屋顶，以及被掀翻的汽车。忽然，远处传来一阵急促的救护车警报声，几名受伤的士兵被抬到担架上，送上了救护车。伙伴们觉得很奇怪，现场很多人的脸上都洋溢着与此情此景很不相称的微笑。

鲁克告诉大家："这里是1948年3月25日的美国俄克拉荷马州的廷克空军基地，半小时之前，一阵龙卷风从这里席卷而过。"

"那有什么好笑的，不是应该很痛苦吗？"蒋方感到很诧异。

"咱们问问去。"鲁克指着不远处的两名军官，他们正有说有笑地谈论着什么。

鲁克走上前去，"不好意思，先生。请问，大家为什么这么开心？"

"我们成功了！对吧，米勒上尉？"

"费布什少校，您说的对，我们成功了！"

"这怎么能说成功？眼前这些难道不是一场可怕的灾难

吗？"宁宁觉得不可思议。

费布什环顾四周，"灾难？明明只有几个人受伤嘛。"

米勒点了点头，表示赞同，"要是没有我们的预报，这场龙卷风必定会造成重大人员伤亡。"

"你们成功预测了龙卷风？太神奇了！"何敏很兴奋。

费布什说："是的，我们在5天前研究测量了附近出现的龙卷风的风速、风向、温度等数据……"

"我们本想对这些数据认真进行总结和分析，看看引发龙卷风的条件到底是什么。"米勒补充道。

"……可就在今早，我们发现基地一带的天气条件和5天前完全一致。虽然这难以置信，但是数据确实如此。我们

果断发布了龙卷风将在 6 点左右到达基地的预警信息。"

"就像我们预测的那样，龙卷风如期而至。此时，大家早已将飞机挪进机库，士兵们也被安排到了安全的地方。"

这时，一名空军士兵跑了过来，笔直地站在费布什和米勒面前，敬了个军礼，"费布什少校、米勒上尉，我代表基地的全体官兵，向英雄致敬！"

费布什回了个军礼，然后笑着说："我们也要感谢大家呢，感谢大家和我们共同见证了龙卷风是可以预测的。"

随着鲁克关闭"虫洞"应用程序，军事基地的景象消失在闪光之中。

"费布什和米勒的这次预报是形成龙卷风预报机制的重要一步呢。"鲁克说。

蒋方朝窗外看了看，太阳被云层遮掩，时隐时现，他一本正经地说："蒋方龙卷风观测预报站发布，今日本地区不会再次出现龙卷风了。"

何敏一下子看穿了蒋方的把戏，她开玩笑说："那么站长先生，可否展示一下您的预测依据呢？"

没等蒋方答话，大姨急匆匆地跑过来，焦急地说："我联系不上阿杰了，无线电搜不到他的信号了！"

藤田级数

"之前，我和阿杰一直保持着联络，可就在几分钟前，手持电台的信号和视频信号同时中断了！"大姨着急地说，"对了，广播里是不是也预报了龙卷风的信息？"

宁宁一边回忆，一边说："是的，我记得广播中说在未来8小时内，我们这里可能出现龙卷风，并伴有短时雷雨、大风、冰雹等强对流天气。"

蒋方补充："对了，我记得阿杰哥在出发的时候好像特别兴奋，还嘟囔着什么……对了……EF3级龙卷风，他说这是他第一次有机会见到这种龙卷风。"

"EF3？"大姨眉头紧锁。

"EF3是什么意思？"蒋方追问。

大姨摇了摇头，她更加担心阿杰了。

鲁克掏出手机，在搜索栏中输入"EF3"，把找到的信息告诉大家："EF3确实和龙卷风有关！它是用来衡量龙卷风强度的标准——藤田级数。你们看，'F'是美国气象学家藤田哲也名字的首字母。可是，EF3级到底代表着什么样的龙卷风呢？"

"孩子们，你们先在这里查清楚 EF3 的含义，我要去给汽车加油，一会儿我们可能得去找找阿杰。"

蒋方安慰大姨："好的。您别太着急，阿杰哥肯定不会有事的。"

鲁克又用手机查了查，但始终没有查到更多的资料。忽然，他眼睛一亮，"我怎么才想到呀！说起藤田级数，有谁还能比藤田哲也本人说得更明白呢？来，准备好，我们要出发了！"

大家又凑在了一起，鲁克按下了手机上的按键。

一道闪光！

时空转换——

闪光过后，伙伴们来到了一间实验室，一位科学家正在认真地工作。他的实验设备非常特别：从圆台状的底座中持续喷射出的蒸汽盘旋上升，样子像极了龙卷风。

"哈哈，这种规模的龙卷风我用两根手指就能捏住。"蒋方开玩笑地说。

这位科学家似乎陷入了沉思，完全没有注意到身边出现的几个孩子。

鲁克扭过头来小声对大家说："他就是藤田哲也，一名

日裔美籍气象学家。现在是 1970 年 5 月，从历史资料上看，一个伟大的想法马上就要从他的脑海中诞生了。"

忽然，藤田迅速拿起笔，在本子上写了起来。

宁宁被眼前那股盘旋上升的蒸汽流吸引住了，她走上前去，伸出手正要触碰蒸汽流，顿时感到一阵寒意扑面而来，吓得她赶忙把手缩了回来。

"小心！"藤田赶忙上前制止宁宁。

"这是什么东西？"宁宁捂着手问。

"这是龙卷风模拟器，它可以制造出微小的旋风，我用它来研究龙卷风。"藤田看到宁宁只是被吓到了，并没有什

么大碍，便接着说，"人们对龙卷风了解得太少了，甚至连它的大小强弱都不知道如何划分……"藤田翻开手里的小本子，"看，这是我刚刚想到的，我们可以对龙卷风的强度进行分级，就像地震烈度那样……"

"您的意思是建立一套龙卷风的强度级数？"鲁克问。

藤田赞许地点点头，"完全正确！你们可真聪明！"

"那该如何划分级别呢？"宁宁凑上前去，看了看藤田的小本子。

"我想，我们可以把比较弱的龙卷风定为0级，再把最严重的定为5级……"

"那3级就应该是中等级别喽。"何敏小声嘟囔了一句，然后抬头用眼神和几个小伙伴交流了一下。

鲁克打断了藤田的话："藤田先生，那您打算如何精确地划分龙卷风的强度呢？"

藤田回答："这个问题我还需要进一步研究，我想可以参考一些外在因素，比如实际风速以及它的影响和破坏程度。比如说，0级龙卷风能把树枝吹断……"

藤田详细地讲解了他的分级想法。他认为，3级龙卷风的风速为254～332千米每小时，是一种能够造成严重破坏

的龙卷风，它能将木板房的屋顶和墙壁吹跑，将重型卡车掀翻，甚至能将树木连根拔起……

"这么严重！"蒋方一脸惊恐。

"是啊！咱们还是先回去吧。"说着，鲁克退出了"虫洞"应用程序，大家回到了大姨家。

"咱们赶紧把情况告诉大姨吧。"宁宁催着蒋方给大姨打电话。

蒋方摆摆手，"不对，还有个事我没弄明白。阿杰哥刚刚说的是'EF3级'，如果'F'代表的是藤田的名字，'3'代表的是龙卷风的强度，那'E'是什么意思呢？"

"问得好。我也注意到了这个问题。"鲁克一边看手机一边说，"真是大意了，我刚才怎么没看到这个！这份资料说，科学家们结合30多年来对龙卷风的研究，于2007年对藤田级数进行了改良，于是就有了现在的改良藤田级数，'E'代表改良的意思。EF3级龙卷风的风速是219～266千米每小时，虽然比F3级龙卷风的威力小一些，但它依然能把汽车从地面上举起来。"

"龙卷风能把汽车从地面上举起来？！"蒋方绝望地问，他已经不敢往下想了。

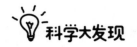
火车上的小号乐队

大姨得知 EF3 级龙卷风的破坏性后，神情一下子变得非常严肃，"阿杰很可能遇上麻烦了……我得去找他。"

"我们能一起去吗？"伙伴们异口同声地问。

大姨有些犹豫，"我不想带你们到危险的地方去。"

"我能帮您观察周围龙卷风的情况。"宁宁说。

"还有我，您开车，我可以帮您用手持电台搜索阿杰发出的信号。"何敏说。

"我可以查资料，给您提供科学的方法。"鲁克说。

"我可以……"所有能想到的任务都被大家说了，蒋方低着头，一时想不出自己还有什么可做的。

"你可以照顾比特。"何敏打趣道。

"汪汪！"比特听到有人提到它的名字，兴奋得又叫又跳。

"好吧，那就一块去吧。不过你们绝对不能靠近龙卷风，那太危险了。"大姨嘱咐大家，"在出发之前，咱们得先确定龙卷风的大致方向……"

宁宁在大姨的电脑上连按了几下回车键，喃喃地说："这

里的网络太慢了，我们没法登录气象局的网站，了解龙卷风的实时位置。"

大姨想了想，说："没关系，我们还有别的办法。我记得阿杰的卧室里有一个追踪龙卷风的仪器。他好像管那个叫……对了……多普勒雷达……你们上楼去看看，我再检查一下车况。"

小伙伴们赶忙跑到阿杰的卧室，比特紧随其后。阿杰的卧室乱糟糟的，衣服、书本和各种仪器散落一地。

"蒋方，你表哥卧室的风格跟你的房间一样啊。"何敏大笑着说。

"哼，我们家的人就是这么爱'干净'！"蒋方也跟着开了个玩笑。

"那就是多普勒雷达。"鲁克指着电脑旁边的一台仪器说。

"多普勒雷达是用来做什么的？"宁宁问。

"要了解这个雷达的作用，我们首先得弄明白什么是多普勒效应。在1842年，一位名叫克里斯

蒂安·多普勒的人……"

"停！不要讲了，咱们趁大姨检查车况这会儿，去问问多普勒本人吧！"何敏打断了鲁克的"演讲"。

大家默契地凑到了一起。

一道闪光！

时空转换——

闪光过后，乱糟糟的房间消失了，取而代之的是火车站的站台，不远处站着两个人，他们身穿长外套，头戴大礼帽。

鲁克小声对大家说："现在是 1845 年 6 月 3 日，这里是荷兰乌特勒支城外的火车站。我们马上就要见证物理学史上一个著名的实验了。"

"这个实验难不成是要证明，人们等火车的时候，时间总会过得更慢一些？"蒋方说笑起来。

"不是，我觉得这个实验是要证明蒋方总会不合时宜地开玩笑。"何敏白了蒋方一眼。

鲁克摆了摆手，"嘘——听！"

大家竖起耳朵。远处传来火车奔跑时发出的咔嚓咔嚓的声音，接着是蒸汽机车发出的汽笛声，这些声音由远及近……

"等等，还有别的声音。火车上好像有好多人在吹小号，

而且还是同一个音？"宁宁问。

"这声音可真够难听的，就像谍战剧的配乐一样。"蒋方皱起了眉头。

火车来了！各种声音越来越大。一辆老式蒸汽机车沿着轨道驶来，车头的烟囱里不断涌出滚滚黑烟。

比特紧张地一通狂叫，蒋方急忙蹲下来安抚它。车头后面拖着一节平板车皮，上面站着6名小号手，他们每个人都在用尽全力吹奏着同一个音。

"这情景还真是少见呢！"宁宁好奇地向火车驶来的方向张望。

站台上的两位先生看着火车，忽然开始争论起来。

"他们吹的是E。"其中一位说。

"不，这明明是降 E。"另一位说。

火车并没有减速，而是从车站呼啸而过。当火车从大家身边驶过并逐渐远去时，一件奇怪的事情发生了。

"小号的音调降低了！"何敏觉得很奇怪。

在场的人都清楚地听到小号的音调正随着火车的远去而降低，两位戴礼帽的先生自然也不例外。

"现在，他们吹的是降 E。"其中一位说。

"不，现在已经是 D 了。"另外那位说。

"这就是多普勒效应。"鲁克小声说。

"啊？什么呀？鲁克，到底什么是多普勒效应？"宁宁迫不及待地问。

"你刚才都听到了呀。多普勒在 3 年前就发现了这种现象，这是他为测试这种效应而安排的第一个实验。显然，实验成功了！我们都听到小号吹出来的音调发生了变化，对吧？"鲁克说。

蒋方说："鲁克，多普勒是不是证明了小号手无法在快速前进的火车上一直吹奏同一个音？这可真是个了不起的发现呀！"

"不对，不对，不是这样的。其实，那 6 名小号手一直

吹的都是同一个音。如果我们和他们一起在火车上的话，那我们是感受不到音调的变化的。但对于站台上的人来说，听到的音就变了。"

"是的，在马路上，如果有一辆行驶中的车在鸣笛，那么它发出的音调也是变化的。可这是为什么呢？"何敏问。

"这都是声波的变化导致的。小号手在吹奏小号的时候，声波是朝各个方向均匀传播的，这就像我们往水面上扔一块石头产生的水波纹一样。波与波之间越紧凑，就是波的频率增大，音调就越高，反之则越低。"鲁克一边说，一边比画，"想象一下，当火车开过来时，火车前方的声波就会被挤压，这样，我们听到的音调就高了；而火车继续前进，驶离站台时，火车后方的声波之间的距离被拉长，所以音调听上去就降低

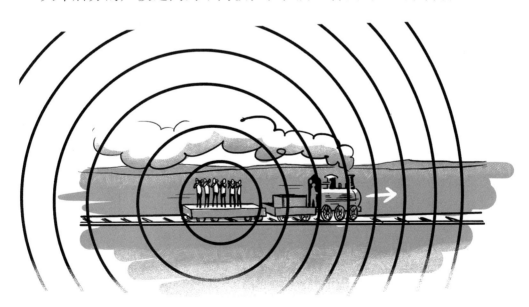

了。这就是多普勒效应。"

蒋方一副恍然大悟的样子，"原来是这样！可是，我们怎么利用多普勒效应去寻找龙卷风呢？"

"走，咱们先回去吧。"鲁克按下返回键，火车站猛然消失，大家回到了阿杰的卧室。

鲁克拨开杂物来到电脑旁，趁着开机的工夫，他继续说："阿杰就是用多普勒雷达来寻找龙卷风的。"

"多普勒雷达？我只知道那种能探测飞机、船只的雷达。"蒋方说。

"嗯，多普勒雷达是雷达家族的一员，它能利用多普勒效应来探测运动目标的位置和相对运动速度。和声波一样，无线电波也会被挤压和拉长。多普勒雷达就是通过分析被测物体反射的无线电波与雷达发射出去的无线电波之间的差异来工作的。具体来说就是，如果反射回来的无线电波频率升高，说明被测物体离我们越来越近，反之则越来越远。所以，多普勒雷达不仅可以探测龙卷风的位置，还能探测出它是如何运动的。当然，有了电脑的帮助，我们能迅速计算出龙卷风的运动速度和运动轨迹。

鲁克按照系统提示打开了雷达，电脑屏幕上显示出一幅

云图，云图的左上方是一块红色区域，周围是黄色圆环，圆环之外的部分覆盖着或深或浅的绿色。"看，这儿就是低气压中心区域。"接着，他又指向红色区域下方一个钩子形状的区域，"这应该就是中气旋了，我想龙卷风就在这附近。"

屏幕上不断更新着雷达探测到的云层数据，蒋方在屏幕上比画出低气压区域的移动过程，然后指向屏幕正中，"咱们现在在这里，也就是说，低气压区域正在远离咱们。"

"它在朝东北方向移动。"宁宁说。

"咱们走这条路吧。"何敏指着屏幕上的一条高速公路。

鲁克点点头，"走吧，咱们快下楼告诉大姨。"

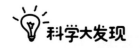
压力重重

几分钟后，伙伴们都上了车，何敏在副驾驶位置上，搜索着手持电台中阿杰常用的通信频段；宁宁和鲁克、蒋方在后排，他们本想在手机上多搜索一些关于这次龙卷风的消息，但是不知为什么，手机的网速特别慢，网页一直无法打开；比特跟着他们，蜷卧在座位旁。

刚出发时，天空中的云层十分平静，头顶上不时还会露出蓝天。在他们的正前方，天空呈现出阴沉沉的灰色，路边的稻田却反射出金灿灿的阳光，这种景象十分少见。路上车很少，大家既担心又紧张，车里除了手持电台发出的杂音外，就是比特低沉的呼噜声。

十几分钟后，大姨突然把车停了下来。大家惊讶地发现眼前的沥青路面像被耙子狠狠刨过一样，露出了棕色的泥土和砾石。

"我觉得这一定是被龙卷风弄的，真没想到它能造成这么严重的破坏。"何敏觉得难以置信。

"但愿龙卷风经过这里时，阿杰不在这儿！"大姨倒吸了一口凉气，很显然，她被眼前的情景吓坏了。

"那是什么？"宁宁指着路边一个圆锥状的东西问。

"我知道那是什么！"何敏一边说，一边飞奔过去，把那个东西捡了起来，"这应该是飞廉上面的部件，我见过它。不过，它原来橙色的表面被刮花了，而且还有污渍……"

这下大姨更着急了，"你的意思是说，阿杰曾经来过这儿？他遭遇了什么？他是不是被龙卷风给卷走了？"大姨着急地环视四周，除了西边不远处有一座小房子，其余方向都只能看到一望无际的田野。

何敏轻轻拧了一下这个圆锥状的物体，突然，圆锥体的尖部和底部分开了，露出很多连接完好的零件，"这到底是什么呀？"

鲁克仔细研究着圆锥体内部的零件，"这是测量大气压、温度、湿度和风速的

零件。我想这应该是阿杰特意留在这里测量龙卷风内部情况的，阿杰知道龙卷风会经过这里。"

蒋方挽着大姨的胳膊，安慰她："大姨，不用担心。阿杰哥肯定没事的，这个东西是他特意放在这里的！"

大家的安慰并没有让大姨放下心来，她还是一副担忧的表情，不断地问："他到底去哪儿了？我们为什么一直联系不上他？"

蒋方无奈地耸了耸肩，因为谁也没有办法解释为什么联系不上阿杰。

大姨又一次把目光移向那座小房子，"我们应该开车过去看看，一会儿你们先待在那儿，我想他很可能也会来这里。如果有消息，我们随时联系。"

大姨把小伙伴们送过去，又继续沿着田间的道路一路向北找去。

房子里没有人，看来房子的主人为了躲避龙卷风，早早去了别处。

何敏盯着探测仪，"你们看，这个探测仪的屏幕上显示出了 1 小时前的气压下降数据……让我看看……大气压降了100 毫巴。鲁克，毫巴是气压的单位吗？"

听到这个数字，鲁克惊讶得头发都竖起来了，"100毫巴，降了这么多！你们知道吗？只有强力龙卷风在头顶扫过时才有可能让大气压下降这么多。"

蒋方摇了摇头，"不好意思，直到现在我还没有搞明白什么是大气压呢。"

何敏瞪大了眼睛，"你可别开玩笑了，这不是很明显吗？大气压就是空气作用在物体上的压力。"

"什么？空气又没有什么重量，还能给物体造成压力？"说着，蒋方五指并拢，微微弯曲，然后凭空上下颠了颠，试图感受空气的重量，然后他学着科幻片中旁白的语气说："由于某种未知原因，我可能被空气压住了……"

"你的想法可真怪！"何敏被蒋方逗笑了。

鲁克也笑了起来，"其实，蒋方的想法并不是无法理解的，几百年来，许多科学家都认为空气是没有重量的，当然也就不会对空气中的物体产生任何压力。而埃万杰利斯塔·托里拆利在研究中发现，空气是有重量的，还会对物体产生很大的压力。"

"埃万杰利斯塔……一二三四五六……这位科学家的名字可真长。"蒋方掰着手指头一个字一个字地念着这个名字。

鲁克告诉大家："他是意大利的物理学家和数学家，出生在 400 多年前。我想，咱们反正要在这里等大姨回来，不如利用这段时间去向他请教请教。"

"太棒了，走吧！"何敏马上兴奋地拉着宁宁和蒋方凑到了一起。

一道闪光！

时空转换——

"虫洞"应用程序把大家带到了一间狭小凌乱的实验室，屋里摆满了玻璃瓶、铜制瓶子、漏斗、管子等东西，弄得伙伴们简直没有落脚的地方。

"这儿还不如阿杰的卧室呢。"蒋方暗自吐槽。

鲁克小声告诉大家："这里是 17 世纪的罗马，托里拆利正在做实验呢。"

杂乱的房间里站着一位身材矮小的先生，他留着一头乌黑浓密的长发，还蓄着整齐漂亮的胡须。此时，他正把一种闪闪发亮的银色液体倒进一根又细又长的玻璃管。

"那种银色的液体是什么？"宁宁好奇地问。

托里拆利猛地抬起头来，伙伴们的突然出现吓了他一跳，"什么？你说的是这个吗？这是水银。"

　　"我听说水银的毒性很强。如今，人们要是用水银做实验的话，除了要穿上厚厚的防护服，还要戴上防毒面具呢。"鲁克有些为托里拆利担心。

　　很快，玻璃管就被水银注满了，托里拆利用大拇指堵住玻璃管口，然后把管子倒了过来，插进一只盛满水银的碗中，等摆好位置后，他才移开大拇指。小伙伴们和托里拆利一起静静地观察着玻璃管，大家发现，玻璃管里的水银流进碗里一部分后，玻璃管的顶部出现了一段空隙。而且，在水银液面下降一段后，尽管玻璃管中还有很多水银，但是它们不再继续向下流动了。

"咦？水银为什么不继续流了呢？"何敏觉得很奇怪。

"小姑娘，问得好，这个问题一直困扰着大家。大家都认为这和管子顶部的那段空隙有关，它原来是填满水银的，而现在什么都没有，甚至连空气也没有，是一段完全空空无物的真空。"托里拆利抬起头，微笑着和伙伴们打招呼，随后，他脸上的微笑渐渐消失，严肃地继续说，"很多人都认为是这段真空拉住了管子里的水银，但我不确定这个解释是否科学。"

何敏问："为什么呢？难道这种解释不对吗？"

"我想他可能已经得出了一个与众不同的结论。"鲁克猜测道。

"我认为，这段真空与水银是否继续往外流是没有关系的。水银停止从管子流进碗里，是因为空气的压力。"托里拆利盯着碗里的水银液面，谨慎地说："碗里的水银在空气压力的作用下被压住了，不能上升，这样管子里剩余的水银就流不出来了！"

"原来是这样啊！"宁宁恍然大悟。

鲁克退出了"虫洞"应用程序，大家回到了乡间小屋。

蒋方有些惊讶，"事情真像托里拆利说的那样吗？"

"是的，他说的是对的！几年之后，有人又在高山上做了一次这个实验，再一次印证了他的观点是对的。你们猜猜看，如果在高山上做这个实验，玻璃管中那段真空区域会变大还是变小？"

"是不是变大了？我想，高山上的空气要比地面处的稀薄，所以压力也小。"宁宁认真地分析。

"完全正确！正是因为高山上的空气比较稀薄，所以气压会比地面处的低。这样，空气施加给水银的压力就小了，所以就会有更多的水银从管子里流到碗里。"鲁克向宁宁竖起了大拇指，"后来，托里拆利发明了用于测量大气压的压力表，直到现在，科学家和气象预报员还在使用他发明的压力表呢。"

"天气预报员？难道预报天气也需要用压力表吗？"蒋方追问道。

"是的。因为气压不仅会随着高度的变化而变化，在天气发生变化时，气压也是变化的。比如在暴风雨来临前，温暖湿润的空气上升形成了云，这些温暖的空气更轻，气压更小，所以在上升过程中会导致气压下降……"

"所以，当龙卷风吹过时，就有了气压下降 100 毫巴这种情况，对吧？"宁宁插话道。

鲁克点点头，"差不多。龙卷风会产生巨大的上升气流，所以气压就降低了。"

"我发现我好像明白一点儿有关天气的知识了！"蒋方很兴奋。

何敏撇了撇嘴，"但愿你是真的明白了，一会儿我们得测试一下，看你是不是真的懂了。"

蒋方双手抱头，故作沮丧地说："啊啊啊！你这么一说，我感觉压力瞬间就大了好多！"

飞廉找到了

几分钟后，大姨回来了。没等大姨停车，蒋方就飞奔到车旁，"大姨，情况如何？找到阿杰哥了吗？"

大姨从车窗探出头来，"有一些收获，我找到了住在这座房子里的那对夫妻，他们告诉我，龙卷风是一小时之前从这里经过的，就在龙卷风到来之前，他们看到了一辆安装着许多测量设备的大车。那位女主人说，在他们进入紧急避难所躲避龙卷风之前，看到驾驶那辆车的人从车里扔出来一个橙色的探测设备，之后就走了。"

蒋方舒了一口气，"瞧，我说的没错吧？阿杰哥可是专门研究气象学的龙卷风猎人！他绝对不会有事的。"

大姨紧皱的眉头也舒展开一些，"不过，还是不清楚他的具体情况，咱们还得继续去找。"

就在大家说话的工夫，天空突然乌云密布，紧接着就刮起了大风，大风夹带着砂砾席卷而来。大姨赶忙招呼大家："快上车，孩子们！快离开这里！"

车子继续向前开，手持电台中依旧是沙沙的干扰声。一

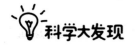

路上，大家看到了更多龙卷风留下的痕迹——水稻田中被生生撕开的土沟，农场旁被绞得稀烂的篱笆，还有被掀掉了屋顶的牛棚……

天色愈加阴沉，远处传来隆隆的雷声。大风把一支松动的雨刷器吹得在玻璃上来回拍打。

大姨小声嘟囔："这孩子在哪儿呢？照理说，他不会跑这么远呀……"

何敏突然大声喊："停车！我看到飞廉了！"

伴随着急促的刹车声，车上所有人猛地前倾，可怜的比特差点儿被甩到前面。

"倒！倒！往后倒！往后倒！"何敏顾不得松开勒紧的安全带，着急地比画着，"就在那儿！"

"对，那个就是阿杰的飞廉，好眼力，何敏！"大姨转动方向盘，顺着土路开了过去，一边开，一边夸何敏。

飞廉静静地停在土路旁。

大家急忙跳下车，嘴里不住地喊着阿杰的名字，但始终没有听到回答。

"他到底去哪儿了呢？"大姨的话音里带着哭腔。

"大姨，别着急。"鲁克上前安慰她，"我看飞廉损坏得并不严重，除了一盏前车大灯碎了之外，其余只是多了一些泥土和划痕而已。而且，飞廉稳稳当当地停在路边，这说明阿杰并不是慌忙离开车子的。"

风越刮越猛烈，地面上又泛起了那种奇怪的黄色阳光。这时突然下起了冰雹——那种乒乓球大小的冰雹。

大姨猛地拉开车门，招呼孩子们："快！回到车上来！"

蒋方忍不住抱怨起来："我真是受够了这倒霉的天气！"

冰雹砸在车子的金属外壳上，发出了又清脆又密集的咚咚声。

"这感觉简直就像是在摇滚演出现场的第一排，还是正对着鼓手的位置。"何敏故意说笑起来。

"我觉得更像是把头放进了鼓里。"蒋方也停止了抱怨，说笑起来。

"看那边！龙卷风又来了！"宁宁指着车后面。

大家齐刷刷地转过头来，一股混沌的、旋转着的气团从云层底部钻出来，越扭越大，越扭越长，像一条在水里漂摇的海草。

蒋方哀嚎起来："哦，不！龙卷风怎么又来了！啊？这次还是朝咱们这边来了！"

大姨赶紧往前开车。见龙卷风正在向北移动，大家决定顺着这条土路前进，这样最有可能避开龙卷风。

"看来咱们得先找个地方躲一下。"大姨很镇定。

冰雹太密了，虽然大姨早已打开了远光灯和雨刷器，但大家还是无法看清前方的状况。

比特不住地战抖，鲁克赶紧抱起它，"没事儿的，小家伙。龙卷风不能把咱们怎么样。"

可是比特并没有平静下来，它竖着耳朵，瞪大双眼，不停地叫。

"我觉得它好像感觉到了什么。"何敏擦了擦车窗上的雾气，向外望去，"等等！那边好像有座小院子，就在我们左边。"

大姨赶紧掉转车头，顺着敞开的大门开了进去，然后把车停在了一间又老又破的农舍前。

何敏挠了挠比特的下巴，夸奖它："你真是只聪明的狗狗，谢谢你帮我们找到了避难所！"

令人奇怪的是，比特还是不停地叫，看上去却十分兴奋。

"你们几个先别下车，我先去和房子的主人打声招呼。"大姨穿好风衣，戴上帽子，这才下了车，快步冲进农舍。

比特看到车门开了，一下子从座椅上窜了出去。鲁克一把抓住它的项圈，赶紧关上车门，"你这是怎么了，比特？冷静点儿！"

大家把目光转向大姨，她一连敲了几次门，但一直没有人来开门。

大姨跑了回来，把头探进车里，"我刚才在房子旁边看

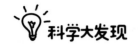

到了地窖的入口，我们先过去避一避吧，屋子的主人应该不会介意的。"

大家跟着大姨一路小跑，来到了一扇厚厚的木门前，大姨用尽全力拉开木门，招呼大家顺着楼梯进入地窖。

大姨是最后一个进入地窖的，她在进来时看到龙卷风已经近在咫尺，此时的龙卷风变成了一个高速旋转的棕色云团，里面还不时放出道道闪电。

大姨锁上木门，垂头丧气地走到大家旁边，看来她又开始担心阿杰了。

瓶子里的龙卷风

宁宁打开楼梯入口处的电灯开关，屋顶上的一只老式灯泡照亮了地窖光秃秃的砖墙。地窖中间放着一张桌子和几把椅子，地上零零散散地堆着几个空瓶子和一箱玩具，这里冰箱、微波炉、餐具、洗手池等一应俱全。

"哈哈，这下咱们得救了！让我先看看冰箱里有什么好吃的。"蒋方咽了一下口水。

大姨连忙制止蒋方，"咱们不能吃人家的东西，如果渴了，你们可以喝点儿水。"

"坏了！比特呢？它去哪儿了？"鲁克着急地寻找比特。

大家在地窖里找了好几遍，还是没有找到比特。

"它肯定在外面呢！"何敏大吃一惊。

"真不知道这个小家伙是怎么回事，刚才我就觉得它有点儿不太对劲……我得赶紧把它找回来。"说着，鲁克便急匆匆地跑向楼梯。

"绝对不行！"大姨喊住了鲁克，"龙卷风很可能就在门外！"

听了大姨的话，鲁克赶紧后退了几步，不情愿地走下楼梯。

何敏挽着鲁克，尽力安慰他："比特是只机灵的小狗，它肯定能躲开龙卷风的，说不定它就在房子底下的水槽里呢。"

……

地窖里一片安静，只有从门缝中吹进来的风，发出时高时低的呜呜声。

大姨看大家的情绪都很低落，便打破了沉默，张罗大家玩点儿游戏。伙伴们在玩具箱里翻来翻去，里面只有几个布娃娃、木制玩具、夸张的舞台服饰和一小管银色亮片。

鲁克看到那一小管银色亮片，眼睛顿时一亮，"你们想不想在瓶子里制造龙卷风？"

蒋方抱怨道："不想！今天都刮了一天的龙卷风了，难道还不够吗？"

"我倒是觉得你的想法有点儿意思。"宁宁积极响应。

"我觉得也还行，毕竟咱们还没搞明白龙卷风是什么样子的呢。"何敏补充。

"很好的想法！鲁克，继续讲下去。"大姨鼓励鲁克。

鲁克拿起一个空瓶子，然后往瓶子里灌了多半瓶水和几滴洗涤液，接着，他捻起一撮银色亮片放进瓶子里。

　　"来，看看这个。"鲁克一边拧紧瓶盖，一边对大家说。他把水瓶倒了过来，一只手紧握瓶口处，另一只手扶着瓶底，然后双手配合，迅速转动瓶子。

　　大家看到瓶子中混有银色亮片的水开始高速旋转，清晰地呈现出一个圆锥状的漩涡。

　　大姨终于有了笑模样，"这个样子真像龙卷风，而且还是闪亮的，比咱们头顶上的那个真家伙漂亮多了。"

　　大家都来了兴致，轮番转动瓶子，看谁转出的龙卷风更大，就连大姨也跟着玩起来……

　　时间一分一秒地过去……

突然，咣的一声，地窖的门开了。

大家一下子把头转向楼梯口，不知道出了什么情况，打开房门的，是狂暴的龙卷风，还是房子的主人？

都不是，打开地窖门的人是阿杰！在他身后，明亮的阳光一下子洒了进来。

龙卷风过去了！

紧接着，他们听到汪汪的叫声，小狗比特从阿杰两腿间冲了出来，飞奔而下，扑到鲁克怀里，激动地叫着。鲁克紧紧抱住比特，激动得差点儿流泪。

阿杰从容地走下楼梯，笑眯眯地问："真没想到能在这儿见到大家，你们是怎么过来的？"

"我们是来救你的！"大姨赶紧上前，用拳头轻轻地锤了阿杰一下，然后紧紧地抱住了他。

阿杰吃了一惊，"救我？为什么要救我？你们担心过头了，我根本不需要救援！要注意安全的是你们！"

蒋方赶忙解释："阿杰哥，我们可担心你了。你知道吗？大姨刚才都快急哭了。"

阿杰连连点头，"真是抱歉，让你们担心了。刚才确实是出了一点儿技术问题。"

"你为什么要离开飞廉呢？"这是大姨百思不得其解的问题。

"呃……说起来真是让人尴尬……嗯……是这样……我发现飞廉的汽油不够了……"

大家哈哈大笑起来。

"原来是这样，我的阿杰，没有汽油对于你来说竟然是个技术问题。好在我们出发之前已经给车加满了油，一会抽出来一些给飞廉吧。但是，你为什么在那种情况下不用手持电台和我们联系呢？"

"当时龙卷风马上就要过来了，于是我赶紧从飞廉里跑出去，没带手持电台。要知道，那股龙卷风可是 EF3 级的，它能……"

"能把汽车甩到天上去，对吧？我们知道。"何敏接话道。

"完全正确！所以我赶紧躲到土路旁边的一个废旧避难所，等龙卷风过去后，我刚要回到飞廉上去，紧接着又来了一场龙卷风，我只好又回到刚才的地方躲避起来。就在我第二次躲避龙卷风的时候，比特居然出现在了我的身旁。你们完全想象不到我当时有多么惊讶！我想，它根本不可能自己跑到离我家这么远的地方来。"

何敏恍然大悟，"这下谜题终于解开了，比特刚刚在车里狂叫，一定是因为闻到了你的气味儿或者感受到你就在附近。"

大姨也跟着笑起来，"何敏这么一说，我觉得有两种可能，一种是比特的嗅觉真的很灵敏，另一种就是……你得洗澡了！你身上的汗味儿可真重！"

阿杰不好意思地点了点头，"我确实该洗澡了……话说回来，在龙卷风过去之后，是比特带我过来找到你们的。"

"比特，你可真棒！"宁宁轻轻拍了拍比特。

"真的很棒！"阿杰也拍了拍比特。

……

肉饼和香肠在烤肉架上滋滋作响。

头顶的天空一片湛蓝。

大姨特意准备了丰盛的晚餐，来庆祝这次有惊无险的搜索经历。大家围坐在餐桌旁，一边吃喝，一边聊这一天的见闻，享受落日余晖。

宁宁说："直到现在，我还是不敢相信，这里竟然在一天出现了两次龙卷风。而现在，又像什么都没发生过一样。"

鲁克接话道："嗯，确实，有的时候天气就是变化不定的。"

阿杰似乎没有心思参与大家的闲聊，他一边吃饭，一边

仔细地听广播，忽然，他皱着眉大喊："哦，不！真糟糕！"

"怎么了，阿杰？"大姨看着阿杰，关心地问。

"真是个坏消息！刚刚气象台发布了接下来一周的天气预报，说接下来都不会出现强对流天气了，都是大晴天！真是无聊！无聊！无聊啊！"

蒋方顾不得咽下嘴里的汉堡，呜呜噜噜地说道："我最喜欢无聊啦！尤其是阿杰哥说的这个'无聊'。各位，我说的对不对？"

和科学家面对面

詹姆斯·波拉德·埃斯皮

詹姆斯·波拉德·埃斯皮 (1785—1860)，美国气象学家，被人们尊称为"暴风雨之王"，他组织建立起一个可以联系全国各地气象台的通信系统，让精确预报天气成为可能。

威廉·查尔斯·雷德菲尔德

威廉·查尔斯·雷德菲尔德 (1789—1857)，美国气象学家，是首批对气旋做出科学解释的科学家之一。

威廉·皮叶克尼斯和雅各布·皮叶克尼斯

威廉·皮叶克尼斯 (1862—1951) 和雅各布·皮叶克尼斯 (1897—1975)，他们是父子，都是挪威气象学家，他们创立的极锋理论和锋面气旋模型对现代气象学影响深远。

约翰·帕克·芬利

约翰·帕克·芬利 (1854—1943)，美国气象学家，也是一名军官，是研究龙卷风的先驱者。

费布什和咪勒

费布什和米勒，他们都是美国气象学家，都是曾在军队负责天气预报的军官。据史料记载，他们在 1948 年 3 月 25 日首次准确预报了龙卷风。

藤田哲也

藤田哲也 (1920—1998)，日裔美籍气象学家，他制定了藤田级数，这是用来量度龙卷风强度的标准。

克里斯蒂安·多普勒

克里斯蒂安·多普勒 (1803—1853)，奥地利物理学家、数学家和天文学家，他才华横溢，创意无限，总有各种新奇的点子。在他的诸多贡献中，最著名的当数发现了多普勒效应。

埃万杰利斯塔·托里拆利

埃万杰利斯塔·托里拆利 (1608—1647)，意大利物理学家和数学家。他以发明气压计而闻名。同时，托里拆利还是第一个用科学的方式描述风的人，他说："风产生于地球上的两个地区的温差和空气密度差。"

著作权合同登记　图字：01-2020-4363 号

图书在版编目（ＣＩＰ）数据

狂野不驯的天气 ／（美）保罗·哈里森著 ；许若青译. -- 北京 ： 中国少年儿童出版社，2022.1
（科学大发现）
ISBN 978-7-5148-7002-2

Ⅰ．①狂… Ⅱ．①保… ②许… Ⅲ．①天气—少儿读物 Ⅳ．①P44-49

中国版本图书馆CIP数据核字 (2021) 第183904号

KUANGYE BU XUN DE TIANQI
（科学大发现）

出版发行 中国少年儿童新闻出版总社
中国少年儿童出版社

出 版 人：孙 柱
执行出版人：赵恒峰

策划编辑：李晓平
著：[美] 保罗·哈里森
译：许若青
装帧设计：于歆洋 安 帅 张 鹏

责任编辑：曹 靓
责任印务：刘 澈
责任校对：栾 鋆

社　　址：北京市朝阳区建国门外大街丙 12 号
编 辑 部：010-57526329
发 行 部：010-57526568
印刷：北京圣美印刷有限责任公司

邮政编码：100022
总 编 室：010-57526070
官方网址：www.ccppg.cn

开本：710mm×1000mm　1/16
版次：2022 年 1 月第 1 版
字数：80 千字

印张：5
印次：2022 年 1 月北京第 1 次印刷
印数：1—6000 册

ISBN 978-7-5148-7002-2
定价：29.80 元

图书出版质量投诉电话010-57526069，电子邮箱：cbzlts@ccppg.com.cn